すし 大《だい》かいぼうの図《ず》

おすしの　ざいりょうや、用語《ようご》を　しょうかいするぞ！

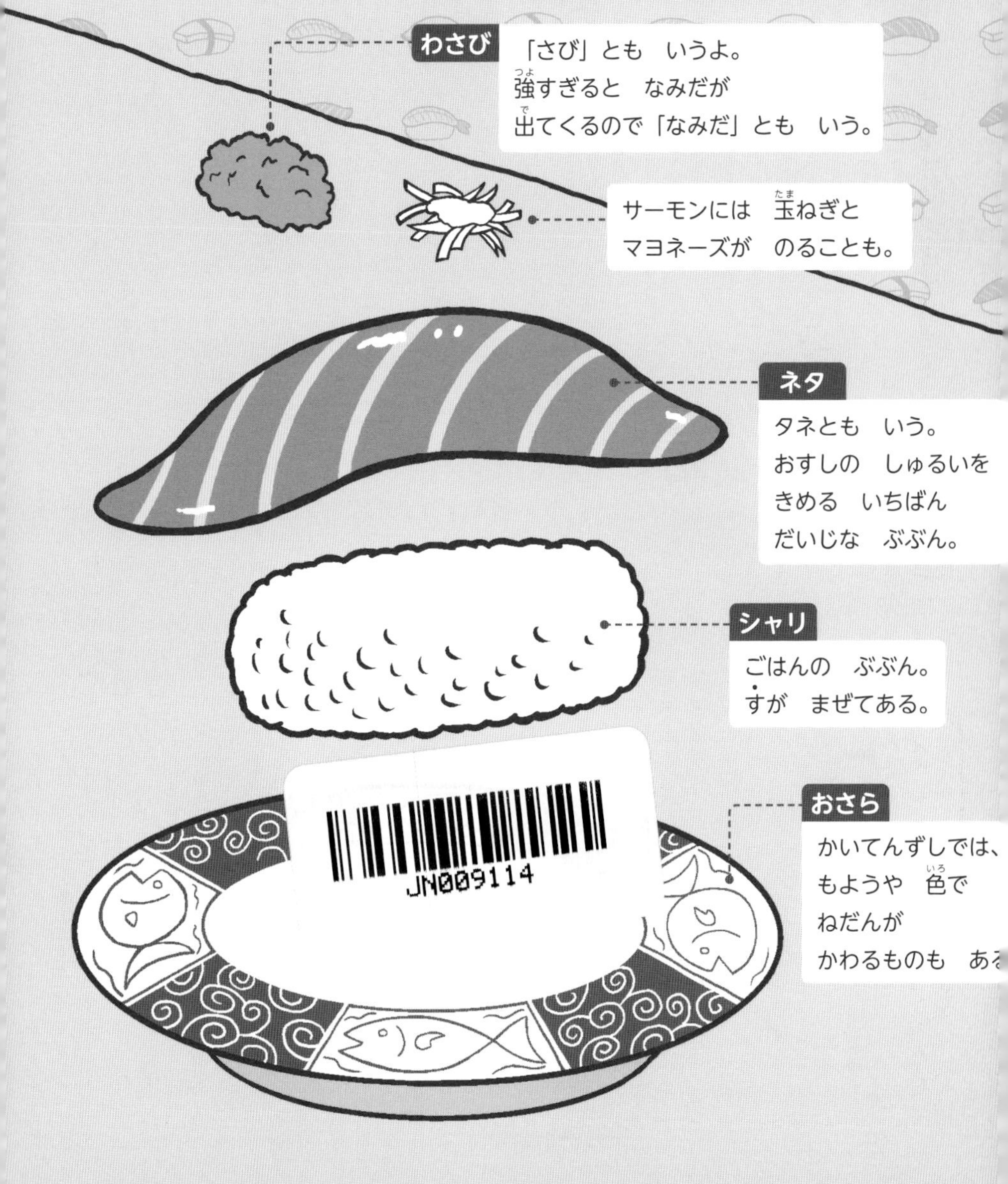

わさび
「さび」とも　いうよ。
強《つよ》すぎると　なみだが
出《で》てくるので「なみだ」とも　いう。
サーモンには　玉《たま》ねぎと
マヨネーズが　のることも。
ネタ
タネとも　いう。
おすしの　しゅるいを
きめる　いちばん
だいじな　ぶぶん。
シャリ
ごはんの　ぶぶん。
すが　まぜてある。
おさら
かいてんずしでは、
もようや　色《いろ》で
ねだんが
かわるものも　あ

おすしかめん サーモン

きょうふ！　なぞなぞニギリーランド

土《ど》門《もん》トキオ・さく　川《かわ》崎《さき》タカオ・え

Gakken

モンジャタウンは、人《ひと》や　どうぶつ、ロボット、
おばけなどが　いっしょに　くらす、へいわな　町《まち》。
ほうかご、マグろうや　タコ太《た》と　わいわい
いいながら　帰《かえ》る　スシオも、ここに　すむ
スシ人《じん》の　ひとりです。

パンは　パンでも、食《た》べられない
、、、、フライパンは　な〜んだ?
あのね、『フライパン』って　答《こた》えを　先《さき》に　いったら　だめじゃん。
スシオって、いつも　どこか　ぬけてるよな。
ププッ

スシオは　頭《あたま》の　サーモンを
ピラピラさせ、てれわらいを
しました。

なぞなぞって　いえば、オレと　タコ太《た》は、あした　なぞなぞゆうえんちに行《い》くんだぜ。
そうそう、ニギリーランド！

「えー？　あの　さいきんオープンした　ゆうえんち？いいなあ〜、ぼくも……。」なぞなぞが　大《だい》すきな　スシオは、うらやましくて　たまりません。

そのとき、

「ん、あれ、なんだ？」

マグろうが　道《みち》の　わきの
くらがりに、黒《くろ》っぽい
かたまりを　見《み》つけました。

三人《さんにん》は、びくびくしながら
なぞの　ぶったいに　近《ちか》よって
みました。

マグろうが　そばに
おちていた　木《き》の　えだで、
おそるおそる　つつくと――。

うう〜ん…

なんと　その　ぶったいは　おじいさんでした。
おどろいた　マグろうと　タコ太《た》は、
さけび声《ごえ》を　上《あ》げて　にげだしました。

うぎゃあ〜〜っ！
ヘナ
ヘナ

「は、はら　へったあ。」
「えっ？　お、おじいさん、大《だい》じょうぶ～？」
「はらが　へって　たおれていただけじゃ。
食《た》べものは……、ないかの？」
「そんなこと　いわれても、
食《た》べものなんか　ないよ……。」
スシオは　こまってしまいました。
すると、おじいさんが　ふるえる
手《て》で　ゆびさしたのは、
スシオの　頭《あたま》の　サーモン。

「えっ？　うそ！
だめだめだめ〜っ。」
スシオは　あわてて
頭《あたま》を　おさえました。
スシ人《じん》は、頭《あたま》の　ネタを
はがされてしまうと、
ただの　**シャリ**。
たましいが　ぬけたように
なってしまうのです。

スシ人《じん》かいせつコーナー
スシ人《じん》の　頭《あたま》の　ネタは、
ほんものの　おさしみ。この
おさしみの　しんせんな　力《ちから》で
うごいているので、ネタを
とられると　弱《よわ》ってしまう。
くろこ…どくしゃの　あんないやく

それでも、　おじいさんは
したなめずりを　して、
スシオの　サーモンを
見《み》つめています。

（どうしよう。
これを　食《た》べさせたら、
ボクは　ふぬけに　なっちゃうし……、
でも、　おじいさんは　かわいそうだし……、
でも……、　パパ……ママ……。）

よ、よし。お、おじいさん……、
ちょっとだけだよ。

パパ、ママ、
さようなら……。

すると――。

わあっはっははは〜っ
ごうかくじゃ〜〜っ!

おじいさんの　きていた
ぼろぼろの　きものが、
金《きん》ぴかの　ごうかで　はでな
いしょうに　かわりました。

じつは、わしは　スシがみという
かみさまじゃ。
おまえのような　心《こころ》の　やさしい
子《こ》どもを　さがしておったんじゃ。
おまえには、へいわを　まもる
せいぎの　ヒーローに　なってもらう。
えっ？　なに？　なんなの？

スシオは　きょとんと　しています。

スシがみさまは、
かってなことを　いって、
スシオに　みどり色《いろ》の
チューブを
むりやり
手《て》わたしました。

おまえは　きょうから
おすしかめんサーモン
となって、せいぎの
ために　たたかうのだ！
ハイパーワサビ
おすし
え～？　いきなり～？
ボクが？　そんなの、
むりむりむりむりむり！

「いいから この ハイパーワサビを
頭《あたま》に ぬるんじゃ！」
「ええ〜？」
かみさまに どなられた
スシオが、 こわごわ
わさびを 頭《あたま》に
ひとぬりすると……。

ヌリ
ヌリ
ちゅうい！ よい子《こ》は まねを しないでね。

スシオの　体《からだ》が　はげしい　光《ひかり》に
つつまれ、ものすごい　はやさで　くるくる
かいてんしはじめました。

おすしかめん
サーモオオオオン!

かいてんが　おさまると
そこには　へんしんした
スシオの　すがたが
ありました。
「なんだか、頭《あたま》が
すっきり!
体《からだ》から　パワーが
みなぎる　気《き》が　しま**スシ**……。」
おすしかめんの　スシオは、
まるで　べつじんのようです。

「おまえは、 きょうから **おすしかめんサーモン**じゃ。
それで へいわの ために たたかうのだ。 たのんだぞ。
わしは、 これから ハンバーガーを 食《た》べに 行《い》くからの。」

じゃあ、そういうことで！
すけっとも よういしといたぞ
ボワワワワ〜〜ン！

スシオ……いや、
おすしかめんは　あわてて
よびとめましたが、　スシがみさまは、
けむりのように　きえてしまいました。
「あーあ、　とんでもないこと
まかされちゃったな……。」
と、　そのとき――。

あ、ちょ、まってくださ……。
え～～～？
ぬっ

「大《だい》じょうぶよ。」
うしろから　かわいい　声《こえ》が　しました。
おすしかめんが　ふりむくと、女《おんな》の子《こ》が　立《た》っています。

わたしは　マッキー。おじいちゃんから、おすしかめんを手《て》だすけするようにいわれているの。
えっ、おじい……ちゃん？
ぜんぜんにてないでスシ……。

マッキーは、
きらっとした
ひとみで
ほほえみ
ました。

これからは、ふたり　力《ちから》を　合《あ》わせて　へいわを　まもりましょ♡
あっ、ハイ！　わたしも　力《ちから》の　かぎり　たたかいま**スシ**！

マッキーが　かわいかったので、
サーモンは　なにを　するのか
わからないけれど、せいぎの
ヒーローも　ちょっぴり
いいかなと　思《おも》いました。
このあと　どんな　じけんが
まちうけているのかも
知《し》らずに……。

よく日《じつ》、モンジャタウンに　おそろしい　じけんがおこりました。ナンジャ広場《ひろば》には、人《ひと》だかりができています。

スシオとマッキーがかけつけると、そこには　頭《あたま》のスシネタを　とられたスシ人《じん》が、白目《しろめ》を　むいて　たおれていました。

町《まち》の　人《ひと》たちが　口《くち》ぐちに　いいました。

また　ひがいしゃが　出《で》たぞ！
スシ人《じん》ばかりだな。頭《あたま》の　ネタを　はぎとられている。
さいきん　スシ人《じん》が　行方《ゆくえ》ふめいに　なる　じけんも　多《おお》いらしいわ。
そんな～
こわい…

「スシオくん、見《み》て！」
マッキーが、スシ人《じん》の　手《て》に
にぎられている　紙《かみ》の
切《き》れはしを　見《み》つけました。

「えっ！
ぞうプリンだって？
ヘンテコな　食《た》べもの……。」

「この　切《き》れはしが
じけんに
かんけい　ありそうね。
ほかにも　おちてないか
さがしてみましょう！」
「やっぱり　やるの……？」
マッキーに　いわれ、
スシオは　せいぎの　ヒーローに　なったことを
もう　こうかいしました。

同《おな》じ　道《みち》は　通《とお》れないぞ。

ニギリ-ランド
ゴール
なゆオ
ニギラ
なぞなぞた
ード
きながら
しむ
クション

やっとあつまったわ。
ぞうプリン
なーんだ、ニギリーランドのことだったのか。
なぞなぞゆうえんち
オープン!
ニギリーランド
なぞなぞを ときながら
ゆうえんちを 楽《たの》しむ
新《しん》かんかくアトラクション

あー！
そういえば
マグロうと
タコ太《た》が　行《い》くって、
いってたっけ！
ピラ

「いやな　よかんが　するわ。
ニギリーランドを　しらべましょう。」
マッキーは　スシオの　手《て》を　引《ひ》っぱり、
ニギリーランドに　むかいました。

ピュ〜〜

モンジャタウンの　山《やま》のふもとの　広《ひろ》い　おかに、
ニギリーランドは　ありました。

さっそく、ふたりは　入《い》り口《ぐち》を　くぐろうと　しましたが、

わあ、いがいと大《おお》きいね！早《はや》く　なぞなぞときた〜い！
「いがいと」ってしつれいでしょ…
ゆだんしちゃ　だめ。あそびに　来《き》たんじゃないんだから。
ニギリーラン
ワク ワク

オニギリにも　工作《こうさく》にも
つかうものって　な～んだ？
わかれば　あけてあげるよ。
おまけに　せいかいなら、
のりものは　ぜ～んぶ　タダ！
ンド

とびらが　ひらきません。そして、いきなり
スピーカーから　なぞなぞが　聞《き》こえてきました。

う〜〜〜ん、ここは
マッキーちゃんに
まかせるよ。
もう〜！
なぞなぞ、
とくいじゃ
なかったの？
それにしても
むずかしいね。

うめぼし？　シャケ？
画用紙《がようし》？
はさみ……？
せいかいなら
のりものが　タダだって！
のりもの　のりたいよー、
のりもの！　のりもの、のりもの、
のりもの、**のり**……。

せいか〜い！
答《こた》えは **のり** だよ。
ギギギギ
スシオくん すごい！
ぼくは **オニギリス**！
ここは、なぞなぞゆうえんちだよ。
なぞなぞを　とくと、
おもしろいことが　おこるよ、フフ。
きみたちは　さっきの　なぞなぞが
とけたから、のりものは
タダで　ありまーす。

ギギギ
わーい！
ピュー

スシオと　マッキーは、オニギリスに
見《み》おくられながら、ゆうえんちの　おくへと
入《はい》っていきました。

たまたま
せいかいした　ことに
気《き》づいていない。

スシオたちが　園内《えんない》を　すすんでいくと、
マッキーが　かんばんを　見《み》つけました。

ゆうえんちに　ある
ごうかな　車《くるま》
アトラクションのなぞなぞだね。う〜〜〜ん、ここはマッキーちゃんにまかせるよ。

キャ〜
キャ〜
貝《かい》を　見《み》ると　みぶるいする
人《ひと》が、千人《せんにん》も　のっている　船《ふね》
ブルブル
1000
ゆうえんちで　みんなが
キャーキャー　いう　スター
キャー
キャー
もう〜、さっきも　同《おな》じこと　いって　なかった?
それと　じけんを　さぐりに　来《き》たこと　わすれちゃ　だめよ。

でも、か～んたんよ。
右《みぎ》が　『ゴーカート』、
まん中《なか》が　『海《かい》ぞく船《せん》』、
そして、左《ひだり》が　『ジェットコースター』　ね。

ゆうえんちに　ある
ごうかな　車《くるま》
ゴーカートだから。

そ、そう、そうだよ。
ボクの　考《かんが》えていた
答《こた》えと　同《おな》じだ！

ふたりが　かけていくと、
あらわれたのは――。
貝《かい》を　見《み》ると　みぶるいする
人《ひと》が、千人《せんにん》も　のっている　船《ふね》
かいぞく（っ！）せん
なので。
ゆうえんちで　みんなが
キャーキャー　いう　スター
キャー
キャー
じゃ、
ジェットコースターから
しらべようよ。
ほら、あっちから
キャーキャー　声《こえ》が
聞《き》こえるし。
ぜっきょうマシンね。
みんな
楽《たの》しんでいるみたい。
キャ〜
キャ〜

キャーキャー　さけびながら、　にげてきた
スシ人《じん》たちでした。うしろから　おいかけてくるのは
たくさんの　**モンスター**・・・。
「さっきの『みんなが　キャーキャー　いう
スター』って、モンスターのこと
だったのね！」
マッキーが
みがまえました。

モンスター
外国《がいこく》の　かいぶつのこと。「ようかい」や　「おばけ」とも　いうよ。

スシオは、スシがみさまに
もらった ハイパーワサビを
とりだすと、 頭《あたま》に ひとぬりしました。

フランケンシュタイン↓
頭《あたま》の ネタを はいでやる～～っ！
グイ
スシオくん、今《いま》こそ へんしんよ！
わ、わ、わかった！
ヌリ ヌリ～

おすしかめん
サーモォオオオン!
へい!おまち!

わたしが来《き》たからには、スシかってはさせません！
な、なんだとー？
パシッ

さあ　来《こ》い！　カモン、サーモン、へい！　らっしゃい！

「ふざけるな、おまえの
サーモンを　食《く》ってやる〜、
よこせ〜〜！」

モンスターたちが、おすしかめん　目《め》がけて
いっせいに　おそいかかって　きました。

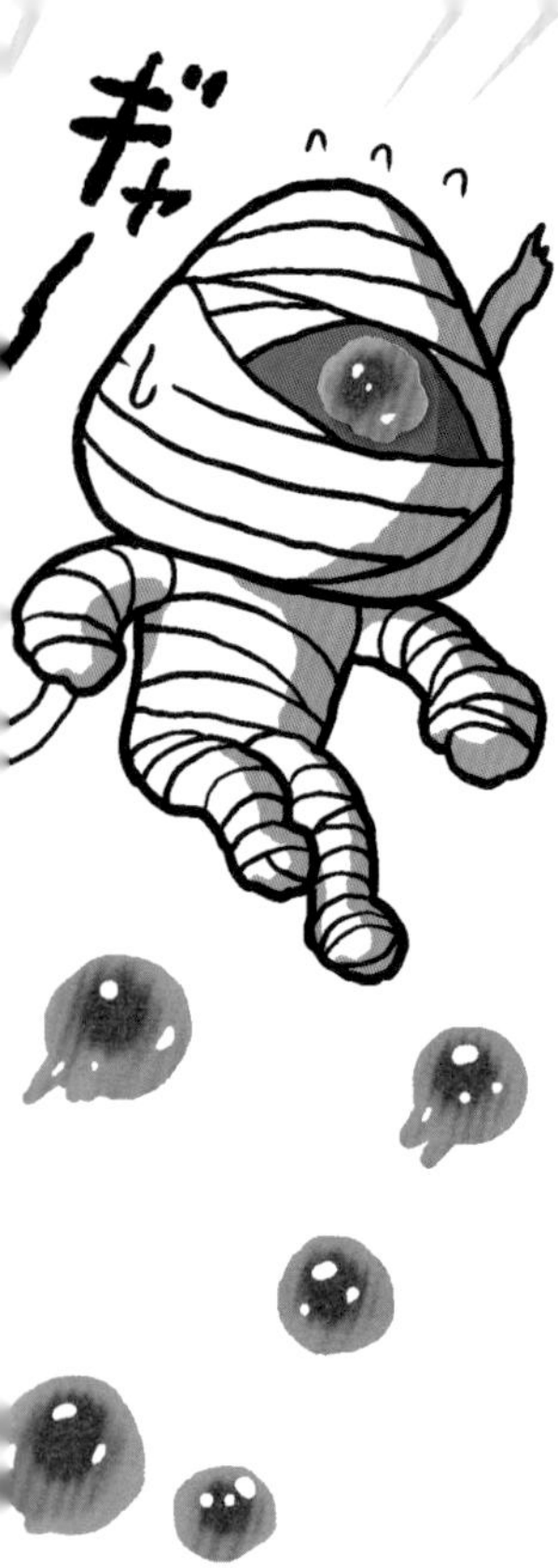

ひっさつ！
イクラフラーッシュ
うわああ！
さあ、マッキーさん、今《いま》の　うちに！

秘技《ひぎ》こうそくかいてんダーッシュ!
ただ
にげるだけでスシ!
まて〜っ!
ピュンッ

そう いうと、
おすしかめんは、
マッキーの 手《て》を
つかみ、もうスピードで
走《はし》りました。

小学生《しょうがくせい》しか
通《とお》れない
ドアは？
また なぞなぞか！ こんどは わたしに まかせなさい！
あっ！ あそこに かくれましょう！
早《はや》く！ フランケンたちが すぐ そこまで 来《き》ているわ！
おすしかめん サーモンの ひみつ
スシオは へんしんすると 頭《あたま》の かいてんが よくなり、
うんどうのうりょくや 体《からだ》の きのうが パワーアップするよ。
もちろん なぞなぞだって すいすい とけるんだ。

小学生《しょうがくせい》は
じどうだから、
じどうドアでスシ！
まてーー！

サーモンが そう いって ドアの 前《まえ》に 立《た》つと……。

じどうで　ドアが　ひらきました！
ウィーン
おいつかれちゃうわ！
ピュンッ
さっきは　よくも〜！　こんどこそ　サーモンを　食《く》ってやる〜〜っ！

早《はや》く 中《なか》に！
まて〜
ギギ
ギギギ
ガコンッ
ウンギャ〜〜〜ッ！

フランケンシュタインが 入《い》り口《ぐち》を
ふさいでしまったため、

ほかの モンスターも
そこを 通《とお》れなくなってしまいました。

中《なか》は　うすぐらい　道《みち》が　つづいています。
そして、どこからともなく　声《こえ》が
聞《き》こえてきました。

ぜっきょう！
『なぞなぞおばけやしき』に　ようこそ。
きょうふの　なぞなぞを　といて、
すすむが　いい。わはははは……。

「外《そと》には　モンスターが　いるし、
おくに　行《い》くしかないですね。
マッキーさん。」
「ゆだんしないようにね！」
ふたりは　うすぐらい　道《みち》を
すすむことに　しました。

おすしかめんは、足元《あしもと》に　おちていた
小《ちい》さな　丸《まる》いものを　ひろいあげました。

タコ太《た》の　きゅうばん！　においで　わかりまスシ。
やっぱり、タコ太《た》くんや　マグろうくんは、じけんに　まきこまれたみたいね。　ここの　どこかに　いるはずよ。　さがしま……

おすしかめんが
ふりむくと、そばに　いた
マッキーを　だれかが
つれさっていくのが
見《み》えます。

きゅうけつコウモリが　いる　ところは　通《とお》れないぞ。
まて〜！
うわ なんだ!?
オレは ナゾンビ！ なぞなぞが とけないと、ここは 通《とお》さないぞ〜！
ナゾンビ
なぞなぞが とけず そのまま しんでしまった したいが よみがえった モンスター。
じぶんが なぞなぞを とけなかった はらいせに、なぞなぞを 出《だ》してくる めいわくな モンスターだ！
1 いつも「イライライラ」 としている 男《おとこ》の モンスターは？
イライライラ
2 人《ひと》を　じーっと 見《み》つめる おばけは？
じ〜っ

あわてて　おいかけると、　そこは　はかばでした。

④
トイレで
紙《かみ》を　ほしがる
モンスターは
な～んだ？
かみ～
③
顔《かお》が　6つで
目《め》が　21この
ものって　な～んだ？
⑤
はかばの
まん中《なか》に　いる
生《い》きものは？
?
レストラン
うらめしや

「むむ、見《み》うしなったか。ここで　きいてみよう。」
おすしかめんが、近《ちか》くの　お店《みせ》の　中《なか》に
用心《ようじん》しながら　入《はい》っていくと……。

あやしい　店《てん》いんさんが　そう　声《こえ》を　かけてきました。

女《おんな》の子《こ》を　つれた、あやしい　やつを　見《み》ませんでしたか？
なぞなぞが　とけたら、教《おし》えてあげましょう～。ヒィ～ヒヒヒヒ。
なぞなぞ～!?
ほんとうは、こんなこと　してる　ひま　ないんだけど……。
ごはんを　食《た》べるとき、だくものって　な～んだ～？
ギュ～～ッ

「かんたん！　答《こた》えは　いたさ！
『いただきます』って　いいまスシ！」
「せいか～い！　なぞなぞが　とけたので
これを　ごちそうしま～す！」
目《め》の前《まえ》に　出《だ》されたのは　どんぶり。

ウシが　たいこを　たたいて　作《つく》る　食《た》べもの
ドン

ギュ～ッ

「また、なぞなぞ～？
そんな　ひまじゃ……。」

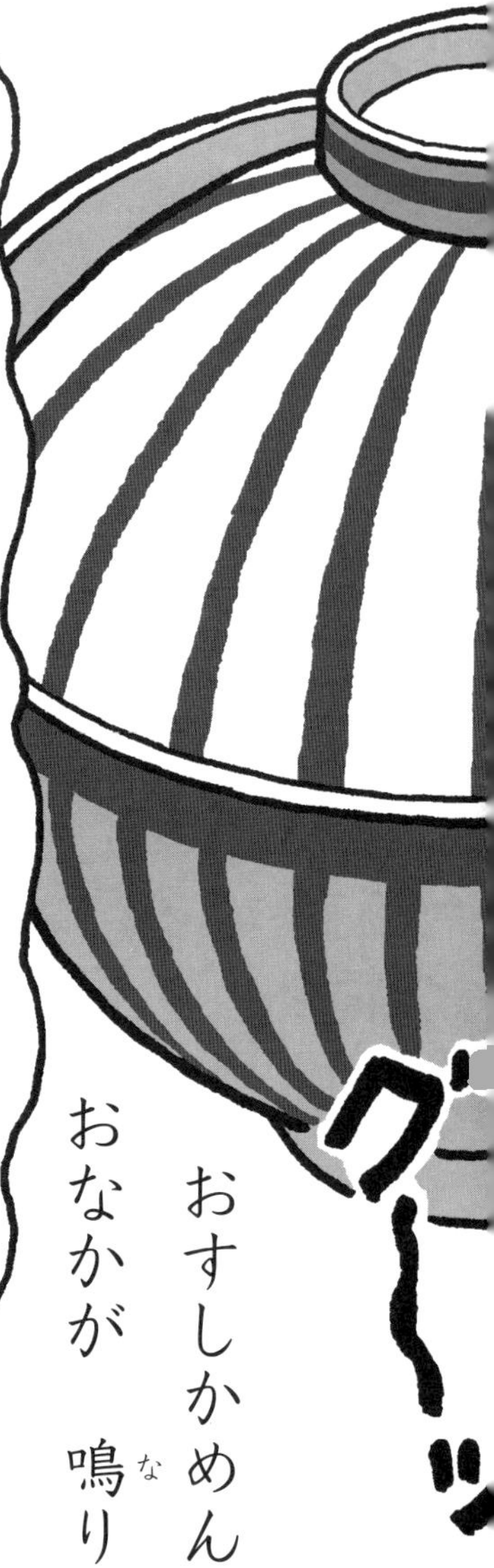

おすしかめんの
おなかが　鳴《な》りました。

えーい！　どんぶりの　中《なか》は、ぎゅうドンさ！
ウシが　ぎゅう（牛《ぎゅう》）で、たいこが　ドン！だからね。
いっただきまーす！

おなかが　すいて　がまんできない
おすしかめんが、ふたを　とって
食《た》べようとした　そのとき。

なんと　この　店《てん》いんさんは
ろくろ首《くび》だったのです。おすしかめんの
シャケび声《ごえ》が　店内《てんない》に　ひびきました。
あわてて　外《そと》に　にげようと　しましたが、
ドアの　前《まえ》は　ろくろ首《くび》の　体《からだ》が　ふさいでいます。

わたしも　頭《あたま》の
サーモン　いただきまーす。
ニョローーン
ぎゃあーー！
↑ろくろ首《くび》

まて〜っ！
秘技《ひぎ》
こうそくかいてん
ダーッシュ！
ピゥ〜〜ッ
サーモンを
ちょうだ〜い。

ひゃあああ！
しまったあ〜！

「さあ、いそいで　ここを　出《で》ないと！」

すると、店《みせ》の　おくから　ぶきみな　声《こえ》が。

とき　すでに　**おすし。**
気《き》が　つくのが
おそかったで**スシ**！
モグ
モグ
ここからは
出《だ》しませんよ。
ホホホホ……。

ドラキュラ↓
頭《あたま》の　サーモンを
すわせろーー!
あっ!　こんどは　ドラキュラ!
な、なにか　ぶきに
なりそうなものは?
はっ!

がんばって。
フフン
サッ
このわりばしで
たたかうぞ！

ホホホホ、そんなもの
こわくありませんよ！
バシッ
あ！

ノビィィ

ドラキュラの　青《あお》い
手《て》が　おすしかめんに
のびていきます。
ああ、もう　おわり
なのでしょうか……。

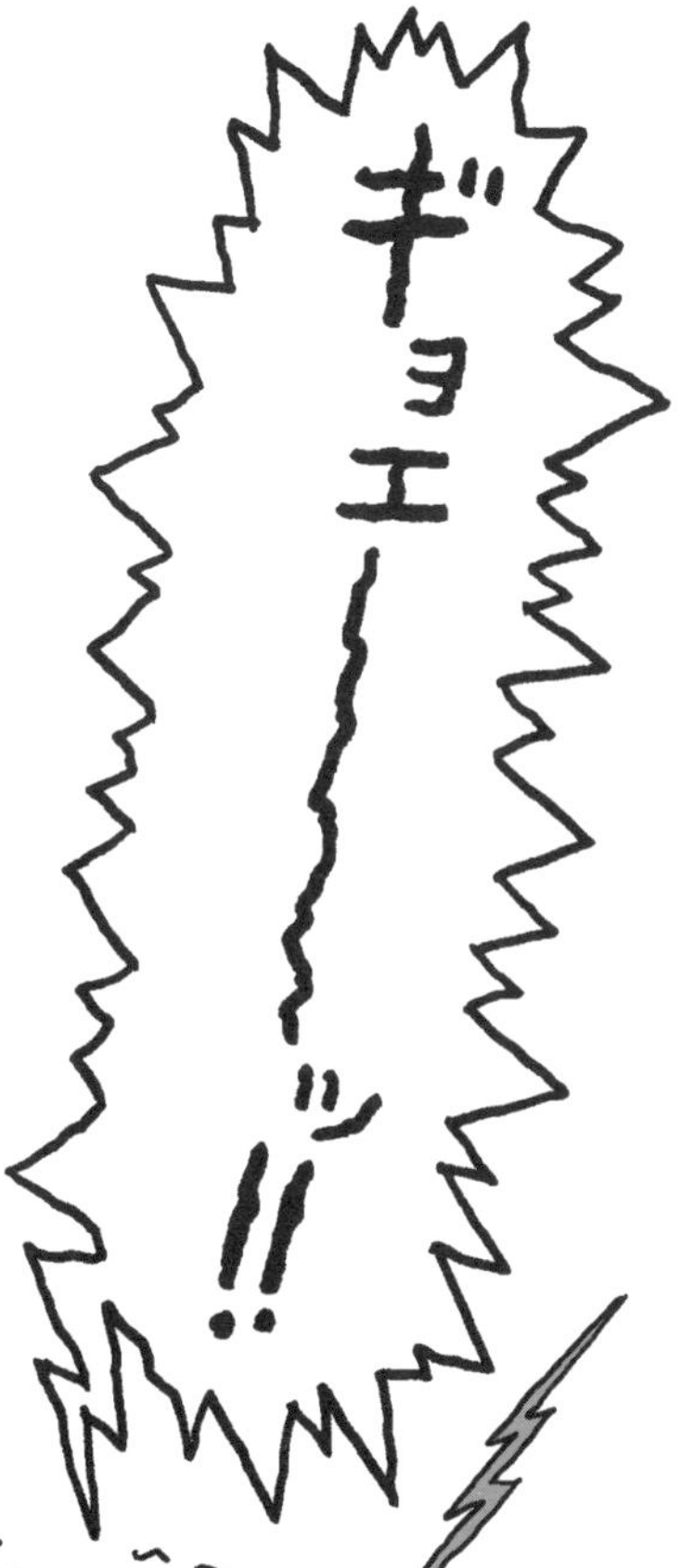
ギョエーーーッ!!

ところが、とつぜん
シャケび声《ごえ》を 上《あ》げて、
ドラキュラが たおれて
しまいました。

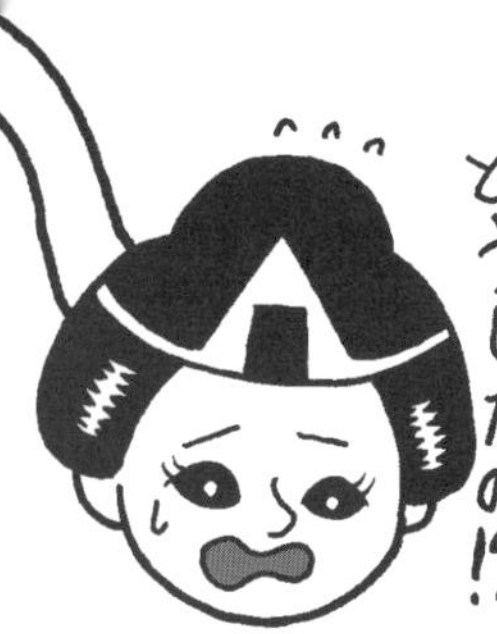
どうしたの!?

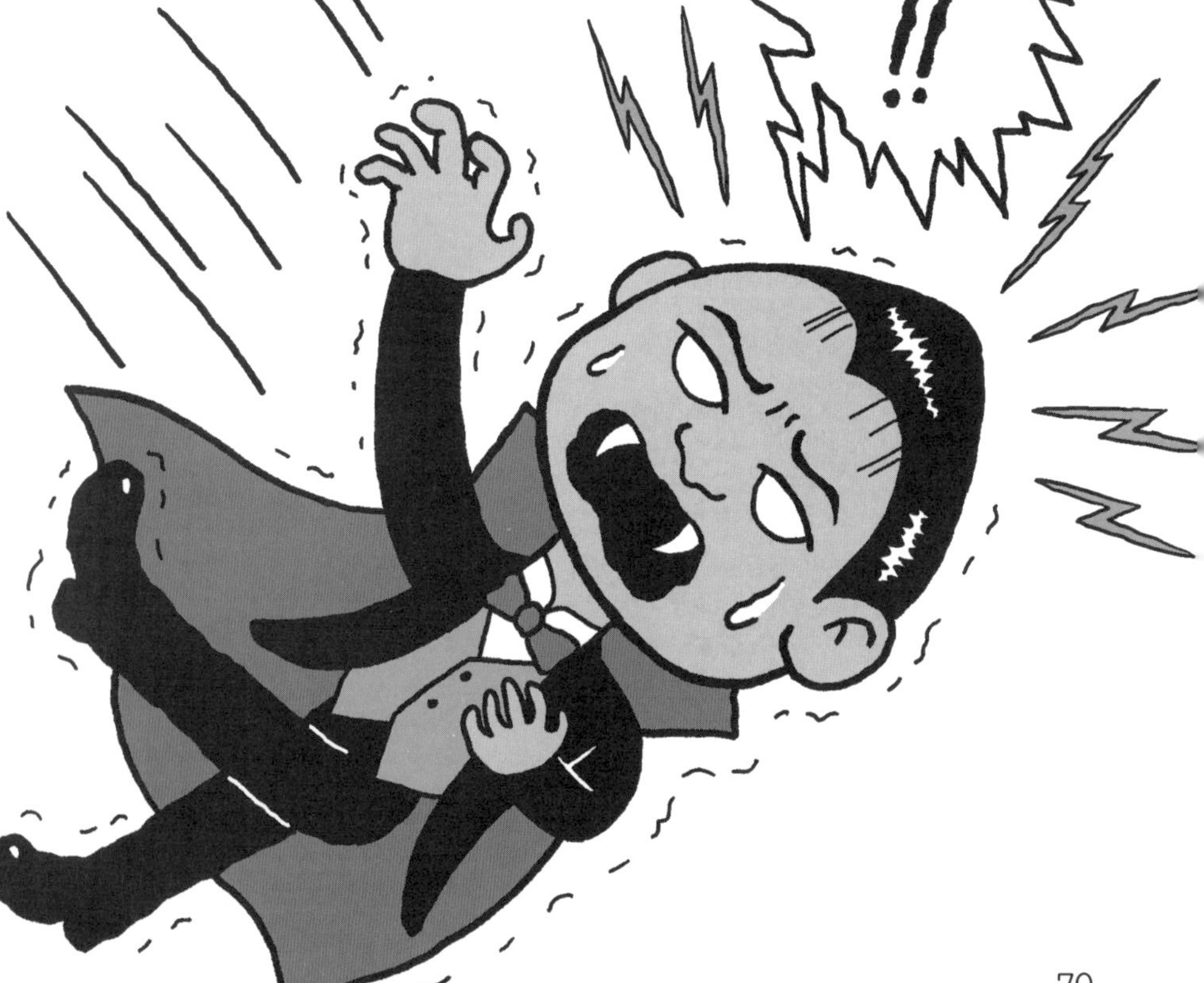

あっ！

なんと、ドラキュラが
たたきおとした　わりばしが、
ぐうぜん　十字《じゅうじ》かのように
なっていたのです。

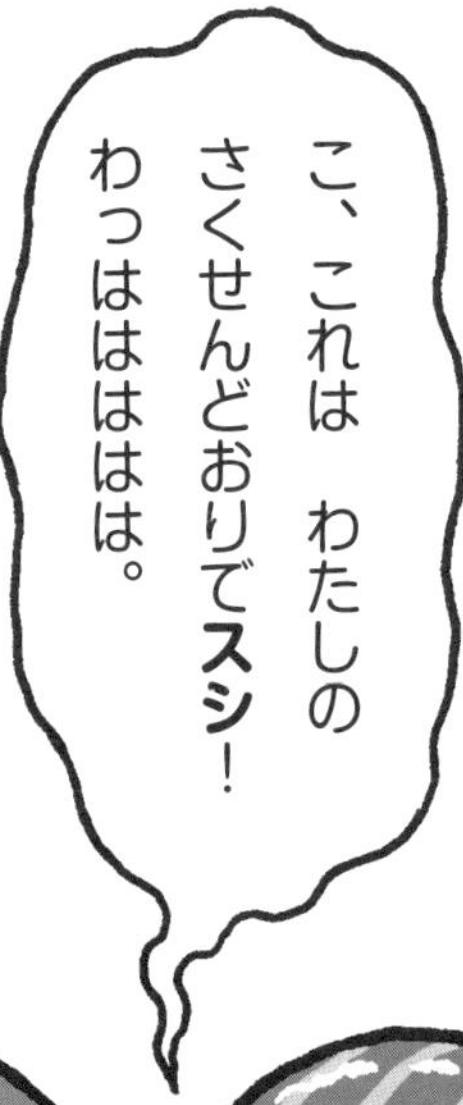
こ、これは　わたしの
さくせんどおりで**スシ**！
わっははははは。

モンスター　ミニちしき
ドラキュラの　にがてな　もの
●十字《じゅうじ》か　●にんにく　●たいようの　光《ひかり》

「早《はや》く　マッキーさんを　さがさないと……。」
おすしかめんが　レストランを　出《で》ると、
ぐにゃりと　したものを　ふみました。
「きゅうりの　切《き》れはし！
きゅうりといえば、
カッパの　大《だい》こうぶつ。
さらわれた　マッキーさんが、
とちゅうで、目《め》じるしに
おとしたんだな！」

今《いま》　たすけに
行《い》くぞ！

おすしかめんは、あらわれる　モンスターと
たたかいながら、きゅうりを　たどって
ニギリーランドを　かけまわります。

おすしかめんが　さいごに　たどりついたのは、
きみょうな　大広間《おおひろま》でした。

おにぎり　二《に》こと　四《よん》こ、
合《あ》わせると　いくつ？
プリンに　すを　かけて　食《だ》べる　人《ひと》は？
「みなみ」の
はんたいは
な～んだ？
きゅう食《しょく》は　なんじ？
シンデレラが　のっているのは？
おお、なぞなぞが
たくさん！
ときたくって
ウズウズで**スシ**！
ウズウズ
子《こ》ねこを
さかさに　すると？
ミルクを
さかさに　すると？
パンは　パンでも
食《た》べられない　パンは？
エッグは　なにご？

ミルクを さかさに すると？
かんたんサーモン！
さかさに したら クルミ！
だめ！ うかつに といったら、わなに かかるわよ！
あわわ！
ボコッ
みんなの なかに おすしかめんと 同《おな》じように 答《こた》えた 人《ひと》は いないかな？

答《こた》えは　**こぼれる**！　ここに　あるのは　いじわる　なぞなぞよ。まちがうと　あなに　おとされちゃうわよ！
あっ！　マッキーさん！　それに、マグろうや　タコ太《た》も！
マッキーさん、だいじょうぶで**スシ**？
わたしは　ネタが　おさしみじゃないから、たすかったみたい。はん人《にん》は、スシ人《じん》を　つかまえて、どれいに　するつもりよ！

おすしかめんが　ろうやに　かけよると、
うしろから　聞《き》きおぼえの　ある　声《こえ》が　しました。

わ〜い
よく　ここまで　来《き》ましたねー。
ボクと　なぞなぞの
しょうぶを　するでありまーす。

あっ！
オニギリス！

ふふふ、せいか～い！
でも、ほんとうの　すがたは　これで　ありまーす。

オニギリスが
きぐるみを　ぱぱっと
ぬぐと、かい人《じん》の
すがたが　ありました。

オレは　**オニギリマン**。
なぞなぞの　天才《てんさい》だ。おまえは
なぞなぞが　とくいなようだな。
この　なぞなぞを　といてみろ！

とびらの　うしろに
かくれている
生《い》きものは？
答《こた》えちゃ　だめ！
その　なぞなぞにも
わなが　あるかも！
こんなの
かんたん**サーモン**！

マッキーが　止《と》めようと　しましたが——。

おすしかめんは
がまんできず
答《こた》えてしまいました。

とびらの　うしろは、
戸《と》の　かげのこと。
つまり、**トカゲ**！
トカゲなんか
こわくないで**スシ**ーー！

せいかいすると、ちっぽけな　トカゲが　一《いっ》ぴき、
とびらの　かげから　出《で》てきて……。

と、思《おも》っていたら、おすしかめんの
何《なん》ばいもある　大《おお》きさの　おそろしい
ドラゴンが　あらわれたのです。

これが　トカゲー？
イ、インチキでスシーー！
ヒヒヒ〜

ドラゴンは　のっしのっしと
おすしかめんに　近《ちか》づき、
ゴオオオオオーーーッ！
と、ほのおを　ふきかけました。

「あちちちちーーってスシ！」
ドラゴンの　ほのおを　あびてしまった
おすしかめんは、サーモンを　やかれ、
あぶりサーモンに　なってしまいました。

そのとき　ピンチに　なった　おすしかめんの
目《め》に、ドラゴンの　足元《あしもと》に　あった
なぞなぞが　とびこんできました。

よし、とどめを　させ！
パンは　パンでも
食《た》べられない
パンは？

パンは　パンでも
食《た》べられない　パンは？

聞《き》きおぼえの　ある　**あの**　もんだい。
きけんが　せまっていると　いうのに、　なぞなぞが
ときたくて　しかたが　ありません。
おすしかめんは　すぐに　**あれ**を　思《おも》いうかべました。

フライパンでスシー！
パンは パンでも 食《た》べられない パンは？
ぱかっ

すると、なぞなぞの 答《こた》えが
ちがったので、石《いし》だたみが
ぱかっと あいて、

グギャオーーッ！
ひえ〜〜

ドラゴンは やみの 中《なか》に
きえて いきました。
ぐうぜんにも ピンチを
切《き》りぬけた おすしかめんは
ひやあせを たらり。

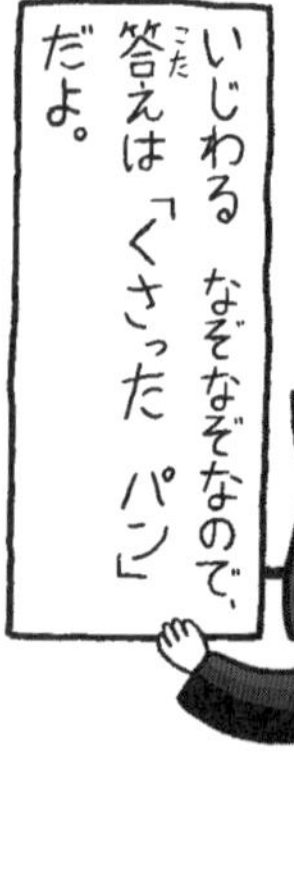
いじわる なぞなぞなので、
答《こた》えは「くさった パン」
だよ。

「こ、これも　わたしの　さくせん**サーモン**！
こんどは　わたしも　おかえししま**スシ**！」
「おすしかめん！　これを　ベルトに　つけて！」
マッキーは　リュックから
スーパーしょうゆボトルを　出《だ》すと、
おすしかめんに　なげました。

スーパーしょうゆボトル

パシッ
パシッ

おすしかめんは、ボトルを
こしに　そうちゃくし、

スーパー
しょうゆジェーットー！
サーモンミサイルーッ！

ものすごい　いきおいで
オニギリマンに
頭《あたま》から　**シャケ**、　いや、
タイ当《あ》たりを　しました。

オニギリマンの
シャケび声《ごえ》が
ひびきわたりました。
そのひょうしに、オニギリマンの
口《くち》に　おすしかめんの　**あぶりサーモン**の
かけらが、ぐうぜん　入《はい》ってしまいました。

すると、　オニギリマンは　きゅうに、　ぽろぽろと
大《おお》つぶの　なみだを　こぼしはじめたのです。

な、なんなんだ？
ここは　天国《てんごく》か？
オー　ウマイ
ゴーッド！
「オー　ウマイ　ゴッド」とは、
おにぎり語《ご》で「天《てん》に　のぼるほど
うまい」という　いみだよ。

「今《いま》まで　おにぎりが　食《た》べもので　一番《いちばん》だと
ばかり　思《おも》っていたけど、オレの　まけだ……。
サーモンが　口《くち》に　入《はい》った　しゅんかん、
まるで　ゆめの　せかいに
とびこんだ　気《き》がした……。」

オニギリマンは
くやしそうに
いいました。

おすしかめんに　へんしんすると、
ミラクルパワーで　サーモンが
何百倍《なんびゃくばい》も　おいしくなる。それが
かれの　心《こころ》も　動《うご》かしたのだ！

おすしかめんは　ろうやから
マッキーや　つかまっていた
大《おお》ぜいの　スシ人《じん》たちを
たすけだしました。

そして、れいぞうこに
オニギリマンが　かくしていた
スシネタも、みんなの　頭《あたま》に
もどしてあげたのです。

あ〜、生《い》きかえった。ひどいこと　されたよ。
オニギリマンの　せいで　とんでもない　目《め》に　あったぞ。
オニギリマンに　しかえしだー。

スシ人《じん》たちは、おこって　口《くち》ぐちに　いいました。

と、そのとき、

まってください！
あくじと
よごれた　まないたは、
水《みず》に　ながしましょう！

おすしかめんが　止《と》めに　入《はい》りました。

オニギリマン、なんで　きみは　スシ人《じん》ばかりを
ねらって　こんなことを　したんだ？

すると——。

「わるいこと」って いみだよ
「あくじ」っ

オニギリマンは、なみだながらに　語《かた》りだしました。
「じつは　さいきん、おすしが　大人気《だいにんき》で、オレたち
おにぎりに、子《こ》どもたちは　目《め》も　くれなくなって
きたんだ。そこで、一番《いちばん》に　なりたい　オレは、
『きょうふの　スシ人《じん》オニギリ化《か》　計画《けいかく》』を
考《かんが》えたってわけさ。」

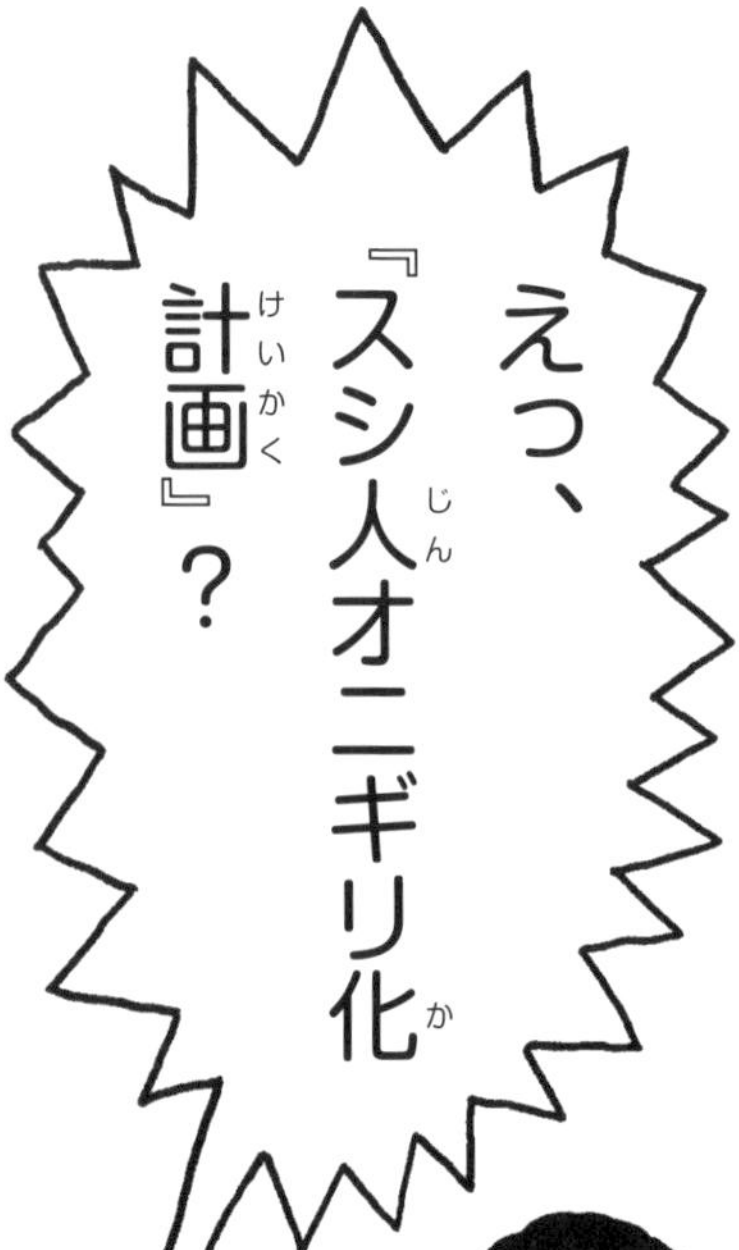
えっ、『スシ人《じん》オニギリ化《か》計画《けいかく》』？

そう、スシ人《じん》の
ネタを　うばい、のこった
シャリに　のりを　まき、
オニギリに　して
子分《こぶん》に　する　計画《けいかく》だ。
でも、さっきの
あぶりサーモンの
うまさに　まけたよ。
おすしには　かなわない。

そんなことは　ないで**スシ**。
おにぎりは　なにを　入れても
おいしい。シャケの　入《はい》った
おにぎりは　さいこう！
おべんとうの
王《おう》さまでしょう！

おすしかめんが　そういうと、
マッキーや　さっきまで
おこっていた　スシ人《じん》たちも
うん、うんと　うなずきます。

「おにぎりと　シャケは
とっても　あいしょうが
いいんで**スシ**。
これから　なかよくしましょう！」
おすしかめんが　右手《みぎて》を　さしだすと、
オニギリマンも　その手《て》を　**にぎり**ました。
えがおに　なった　オニギリマンの　目《め》には
しおあじの　なみだが　光《ひか》っていました。

モンジャタウンは、　おすしかめんの
かつやくで、へいわを　とりもどしました。
「マッキーさん、きょうも
パトロールに　行《い》くよ！」
「うん！」
明《あか》るい　たいようの
光《ひかり》を　あびて、
さっそうと　出《で》かける
二《ふた》つの　かげ。

「お〜い、オレも
つれていってくれ〜。」
そこに、ふたりを
おいかける　オニギリマンの
すがたが　ありました。

（おしまい）

答《こた》えのページ

P28～29の　めいろの　答《こた》え

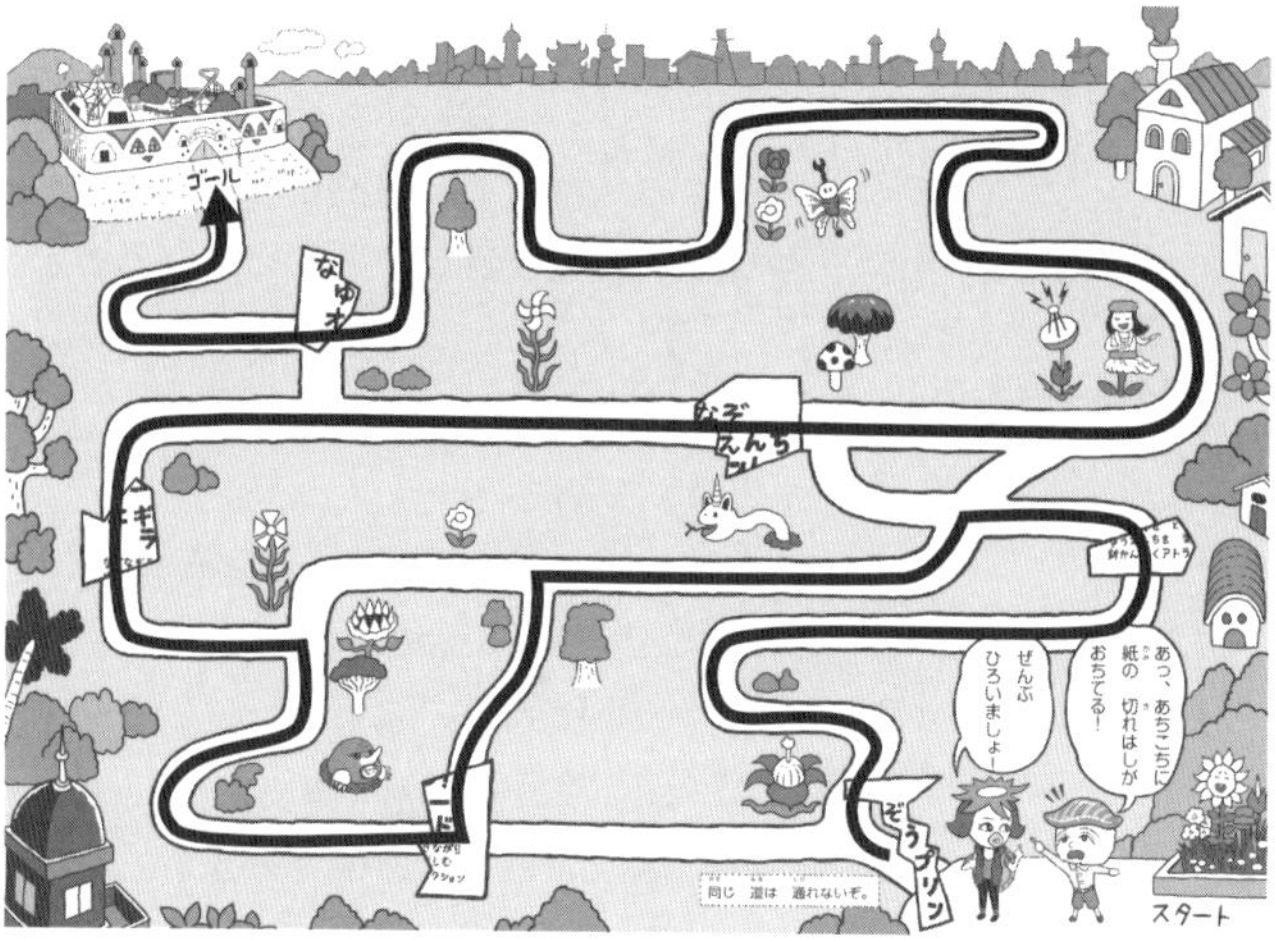
ゴール
あっ、あちこちに
紙《かみ》の　切《き》れはしが
おちてる！
ぜんぶ
ひろいましょー
同じ　道は　通れないぞ。
スタート

P58～59の　答《こた》え

めいろの　答《こた》え

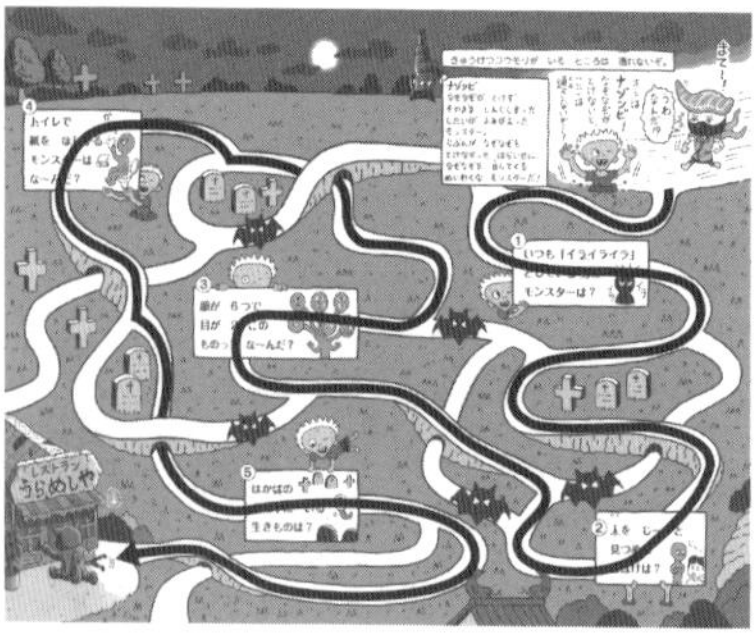
まてー！
いつも「イライライラ」
モンスターは？
うらめしや

なぞなぞの　答《こた》え

①ミイラおとこ

（「イラ」が　3つだから。）

②みつめこぞう

（人を　「みつめ」るから。）

③サイコロ

（顔《かお》は　めんのこと。サイコロの
目《め》は　ぜんぶで　21こだよ。）

④おおかみおとこ

（「おお！かみ！」と、かみを
ほしがっているから。）

⑤か

（「はかば」の　まん中《なか》の　文字《もじ》は
「か」だから。）

P74の　いじわる　なぞなぞの　答《こた》え

1
2
3
4
5
6
7
8
9
10
おお、なぞなぞが
たくさん!
ときたくって
ウズウズてスシ!
ウズ
ウズ

①プリンに　すを　かけて　食《た》べる　人《ひと》は？
答《こた》え…そんな人《ひと》は、いないよ。

②おにぎり　２こと　４こ、合《あ》わせると　いくつ？
答《こた》え…合《あ》わせたら　大《おお》きな　１こに　なるよ。

③きゅう食《しょく》は　なんじ？
答《こた》え…６字。文字《もじ》の数《かず》のことだよ。

④「みなみ」の　はんたいは　な～んだ？
答《こた》え…はんたいに　読《よ》んでも、「みなみ」。

⑤シンデレラが　のっているのは？
答《こた》え…もちろん　「絵本《えほん》」だよ。

⑥イカが　さかだちすると　なにに　なる？
答《こた》え…さかだちしても　イカの　まま。

⑦子《こ》ねこを　さかさに　すると？
答《こた》え…あばれる。

⑧ミルクを　さかさに　すると？
答《こた》え…こぼれる。

⑨パンは　パンでも　食《た》べられない　パンは？
答《こた》え…くさった　パン。

⑩エッグは　なにご？
答《こた》え…たまご。

うらびょうしの　なぞなぞの　答《こた》え

①まぐろ（「まっく（ぐ）ろ」だから。）
②たまご（「玉《たま》」の　字《じ》が　５つあるから。）
③いくら（「いくら？」と　気《き》に　しているから。）
④さば（「さばく」の　字《じ》の　中《なか》に　あるから。）
⑤いか（「貝《かい》」の　字《じ》が　さかさまに　なっているから。）
⑥うに（「ぎゅうにゅう」の　字《じ》に　入《はい》っているから。）
⑦たこ（「たいこ」の　字《じ》の　外《そと》がわに　入《はい》っているから。）

おすしかめんサーモン

きょうふ！　なぞなぞニギリーランド

2021年7月13日　　第1刷発行

作　　土門トキオ
絵　　川崎タカオ

発行人　　小方桂子
編集人　　工藤香代子
企画編集　　永渕大河
校正　　菊沢正子
デザイン・DTP　　小林峰子

発行所　　株式会社　学研プラス
〒141-8415　東京都品川区西五反田2-11-8
印刷所　　図書印刷株式会社

この本に関する各種お問い合わせ先
●本の内容については、下記サイトのお問い合わせフォームよりお願いします。
https://gakken-plus.co.jp/contact/
●在庫については　Tel 03-6431-1197（販売部）
●不良品（落丁、乱丁）については　Tel 0570-000577
学研業務センター　〒354-0045 埼玉県入間郡三芳町上富279-1
●上記以外のお問い合わせは　Tel 0570-056-710（学研グループ総合案内）

スシがみの すきなもの

わっはっは〜
わしは スシがみじゃ〜!!
すきなものは ハンバーガー。
そして ラーメン! ケーキ!
プリン じゃ〜!
おすしは……?
え〜……

オニギリマンの 家《いえ》

ようこそ わが家《や》へ!
わ〜、家《いえ》が 三角《さんかく》〜!
めしあがれ〜。
いろいろ 三角《さんかく》〜〜。
これ ぼくの 車《くるま》。
タイヤも 三角《さんかく》……。
これ ベッド。
ねられなくない?
サンカク ベッド……